Redactie:	Larry Iburg in samenwerking met Stichting Greenpeace Nederland
	Met dank aan Pauline Wesselink en Hil Oosterveld
Omslagontwerp:	Erik de Bruin, www.varwigdesign.com Hengelo
Lay-out:	Christine Bruggink, www.varwigdesign.com
Foto's:	Stichting Greenpeace Nederland
Druk:	Drukkerij Hooiberg Salland Deventer

2e druk, 2010

ISBN 978-90-8660-087-8

WWW
wij willen weten
Rudy Schreijnders

Greenpeace

Deel 45

SLOTERVAART

Pieter Callandlaan 87 b   1065 KK Amsterdam
Tel. 615 05 14
slvovv@oba.nl

ELLESSY
JEUGD

Inhoudsopgave

1.	Wat is Greenpeace?	7
2.	Hoe werkt Greenpeace?	10
3.	Klimaat en energie	12
4.	Oerbossen	15
5.	Oceanen	18
6.	Giftige stoffen	22
7.	Genetische manipulatie	26
8.	De schepen van Greenpeace	29
9.	Successen	34
10.	Vrijwilligers en donateurs	37
11.	Jij en Greenpeace	39
12.	Meer weten?	41
13.	Bronnen	42

1. Wat is Greenpeace?

Greenpeace is een organisatie die zich inzet voor een schone en gezonde wereld, waarin geen oorlog is. En dat is precies wat het woord 'Greenpeace' betekent: 'green' (groen) staat voor alles wat leeft en groeit (ook wel de natuur of het milieu genoemd) en 'peace' betekent vrede.

Greenpeace doet altijd eerst onderzoek. Met de resultaten probeert de organisatie regeringen en bedrijven ervan te overtuigen dat ze beter voor de natuur moeten zorgen. Pas als praten niet helpt, gaat ze actievoeren. Ook al is dat laatste het meest opvallende deel van het werk van Greenpeace, de andere twee onderdelen zijn minstens zo belangrijk: soms krijgt Greenpeace na onderzoek doen en overleggen al haar zin!

Onderzoeken

Medewerkers van Greenpeace verzamelen bij fabrieken of op andere plekken water, grond of lucht. Deze worden onderzocht in een eigen laboratorium in Engeland. Pas als Greenpeace weet dat het water, de bodem of de lucht vervuild is, wordt de volgende stap gezet.

Overleggen helpt

Overal ter wereld vergaderen ministers en andere belangrijke mensen over ernstige problemen. Soms maken ze regels om de natuur te beschermen. Greenpeace wordt dan uitgenodigd om hierover mee te praten. Ook bezoeken Greenpeace-medewerkers wel eens ministers en vertellen hen over de ideeën van Greenpeace. Daar komt geen rubberboot aan te pas, maar het is wel belangrijk werk. En vaak werkt het!

De allereerste Greenpeace-actie (GP/Keziere)

Actievoeren om je zin te krijgen
Maar als overleggen niet helpt, gaat Greenpeace actievoeren. Zo
is de organisatie ook begonnen: de eerste actie was op 15 sep-
tember 1971 toen een groepje Canadezen en Amerikanen een
boot huurde om vanuit Canada naar het eilandje Amchitka bij
Alaska te varen, omdat de Amerikanen daar een kernproef wil-
den houden.

De boot kwam nooit aan bij Amchitka, maar de reis was wel een
succes. Want hun allereerste actie om de natuur te beschermen
kwam over de hele wereld op de radio, televisie en in de kran-
ten. En het eilandje Amchitka? Dat is nu een beschermd gebied
voor vogels.

Hoe ging het verder?
In 1972 en 1973 verzette Greenpeace zich tegen kernproeven
van de Fransen op het eiland Moruroa in de Stille Oceaan. Vanaf
1975 voerde Greenpeace actie tegen de walvisjacht en tegen het

Actie tegen de walvisjacht (GP/Sutton-Hibbert)

Walvisjagers zijn drijvende fabrieken (GP/Rezac)

afslachten van zeehondenbaby's. Later ging Greenpeace zich ook met andere onderwerpen bezighouden, zoals de oerbossen, schone energie en giftige stoffen.

In Nederland bestaat Greenpeace sinds de zomer van 1978. Er was toen nog geen echt kantoor. De mensen die Greenpeace een goede organisatie vonden, vormden samen een comité. Op 3 januari 1979 werd de Stichting Greenpeace Nederland officieel opgericht.

2. Hoe werkt Greenpeace?

Mensen zorgen vaak slecht voor de natuur en daar maakt Greenpeace zich erg zorgen over. Daarom doet ze er alles aan om de natuur te beschermen. Greenpeace werkt daarbij volgens deze belangrijke principes:

Geweldloos

• De oprichters van Greenpeace spraken af nooit geweld te gebruiken bij hun acties: als je voor een vreedzame wereld bent, moet je zelf het goede voorbeeld geven.

Onafhankelijk

• Greenpeace is niet gebonden aan een bepaalde godsdienst of politieke partij. Ook financieel is de organisatie onafhankelijk. Zij neemt geen geld aan van bedrijven of de overheid.

Voorzorgprincipe

• Als het vermoeden bestaat dat wat mensen doen, schadelijk is voor de natuur, dan is het uitgangspunt: niet doen. Voorkomen is beter dan genezen.

Getuige zijn

• Greenpeace wil zelf aanwezig zijn op de plaats waar de natuur vervuild wordt. Door getuige te zijn, kan iedereen op de wereld zien wat er aan de hand is.

In actie op de Noordzee (GP/Aslund)

Greenpeace houdt zich vooral bezig met de volgende milieuproblemen:

- klimaatverandering;
- het razendsnel verdwijnen van de oerbossen;
- het verdwijnen van zeedieren uit de oceanen;
- de toenemende stroom aan giftige stoffen;
- genetische manipulatie.

In de volgende hoofdstukken lees je veel meer over deze onderwerpen. Ook lees je over de oplossingen die Greenpeace heeft én natuurlijk wat je zelf kunt doen.

Onderwateractie voor zeereservaten (GP/Reynaers)

3. Klimaat en energie

Je komt je kamer binnen, doet de verwarming, het licht en je computer aan. Heel normaal toch? Maar voor jouw licht, verwarming en computer is elektriciteit nodig. Die moet eerst gemaakt worden en dat gebeurt vaak door het verbranden van olie, kolen of gas. Daarbij komen enorme hoeveelheden kooldioxide (CO_2) in de lucht, de belangrijkste oorzaak van de opwarming van de aarde.

Als het maar een paar graden warmer wordt op aarde, raakt ons klimaat al erg in de war: de poolkappen smelten waardoor de zeespiegel stijgt. Zonder hogere dijken komt een groot deel van Nederland dan onder water te staan. Maar de zee zal ook veel andere landen overstromen. Kortom: als we nog heel veel energie uit olie, kolen of gas halen, dan zullen mens en natuur het wereldwijd erg moeilijk krijgen.

Kerncentrales maken ook elektriciteit. Die stoten geen CO_2 uit en daarom draagt deze elektriciteit niet bij aan de klimaatverandering. Maar kernenergie heeft andere nadelen: zo is het afval erg gevaarlijk, want het blijft wel 240 duizend jaar radioactief en er is geen veilige manier om het op te slaan. En kernenergie zorgt voor radioactieve vervuiling en levert de grondstof voor kernwapens. Greenpeace vindt kernenergie daarom onveilig en geen schone energiebron.

Wat is de oplossing?

Greenpeace is tegen de bouw van kerncentrales en wil dat onze regering de bouw van nieuwe kolencentrales verbiedt. Verandering van het klimaat kan voorkomen worden als elektriciteit opgewekt wordt met behulp van wind, zon, water en scho-

Greenpeace kiest voor groene stroom (GP/Beentjes, Langrock/Zenit/GP, Redondo/GP)

ne biomassa. Daarbij komt geen CO_2 vrij en daarom heet deze elektriciteit ook wel groene stroom.

Wind en zon

Nederland gebruikt al heel lang de kracht van de wind. Vroeger werd bijvoorbeeld graan fijngemalen in molens waarvan de wieken ronddraaiden dankzij de wind. Het is dus helemaal niet gek om nu met windmolens elektriciteit op te wekken. Windmolens neerzetten in zee is een goed idee want er is meer ruimte en het waait er bovendien harder dan boven land. Planten gebruiken zonlicht om te groeien. Ze vangen het licht op en zetten dat om in energie. Zonnepanelen werken op een soortgelijke manier om elektriciteit op te wekken en leveren zo stroom. Bijna iedereen kan zonnepanelen op het dak van zijn huis zetten en daardoor zelf stroom maken.

*Poolijs smelt
door opwarming
van de aarde
(GP/Rezac)*

Water en biomassa

Ook met water kun je elektriciteit maken en dat gebeurt in landen waar bergen en watervallen zijn, zoals in Zwitserland. Het vallende water drijft een machine aan die elektriciteit opwekt. Biomassa is een ander woord voor afval dat verbrand wordt en zo elektriciteit opwekt. Niet alle biomassa is even milieuvriendelijk. Zo komen bij het verbranden van vervuild slib uit de havens, kippenmest en restafval soms giftige stoffen vrij. Schone biomassa bestaat bijvoorbeeld uit snoeiafval, oude bomen en bladeren.

Wat kun je zelf doen?

- Verspil geen elektriciteit: gebruik spaarlampen en doe het licht uit als je je kamer verlaat. Zet je computer, tv of radio uit als je hem niet gebruikt.
- Laat de deur van koelkast of diepvries niet open staan.
- Heb je het koud? Doe dan een warme trui of vest aan in plaats van meteen de kachel hoog te zetten.
- Vraag je ouders om wat vaker met de fiets of trein te reizen in plaats van met de auto.
- Vraag je ouders om over te stappen op groene stroom. Zij kunnen zelf de leverancier van hun stroom kiezen.

4. Oerbossen

Oerbossen zijn uitgestrekte wouden van duizenden, soms zelfs miljoenen jaren oud. Bijna de helft van alle planten en dieren die we op aarde kennen, komen voor in de oerbossen. Maar wist je dat tachtig procent van deze bijzondere bossen al is vernietigd? De bomen leveren veel geld op omdat het hout gebruikt wordt in huizen, meubilair en om papier van te maken. Oerbossen worden ook weggehakt om vee te laten grazen of soja- of palmolieplantages aan te leggen. In Indonesië verdwijnen de oerbossen razendsnel: ongeveer 1,6 miljoen hectare per jaar. In drie jaar is dat een even groot gebied als heel Nederland!

Bijzondere dieren bedreigd

In de oerbossen leven veel bijzondere dieren. Als het bos verdwijnt, worden deze dieren ook in hun bestaan bedreigd. Hun leefgebied wordt steeds kleiner of verdwijnt zelfs helemaal. Om welke dieren gaat het dan bijvoorbeeld?

- **Wolven** in de laatste oerbossen van Europa, in Rusland, Zweden en Finland.
- De **Siberische tijger** in Aziatisch Rusland.
- **Grizzlyberen** in het regenwoud van British Columbia (Canada).
- De **jaguar** in de oerbossen van de Amazone.
- Het **Andeshert** in het regenwoud van Chili en Argentinië.
- De **bosolifant**, de **chimpansees**, **gorilla's** en **okapi's** in het regenwoud van Centraal-Afrika.
- De **orang-oetan**, de **Sumatraanse tijger** en de **Javaanse neushoorn** in Indonesië.

Hoe lang redden deze bijzondere dieren het nog als we doorgaan met het kappen van de oerbossen?

Oerbossen:
uitgestrekte
wouden
van wel
duizenden
jaren oud
(GP/Davison
)

Wat is de oplossing?

Greenpeace wil dat de oerbossen behouden blijven: er mogen in deze gebieden geen bomen meer gekapt worden. Er zijn ook bossen die goed beheerd worden. Hout en houtproducten met het keurmerk van de Forest Stewardship Council (FSC) komen uit deze bossen. De eigenaren kappen niet alle bomen weg waardoor dieren en planten blijven leven.

Hoe lang
redt de
Siberische
tijger het
nog?
(Mauthe/GP)

16

*Oerbosbewoner
(Scheltema/GP)*

Papier wordt gemaakt van omgehakte bomen of van ingezameld oud papier. Hoe meer papier wordt ingezameld en hergebruikt, des te minder bomen hoeven omgehakt te worden. En als toch houtvezels nodig zijn, dan is het beter daarvoor hout met een FSC-keurmerk te gebruiken.

Wat kun je zelf doen?
- Koop alleen 100 procent gerecycled papier. Niet alleen als schrijf- of printpapier, maar ook toiletpapier, papieren zakdoekjes of koffiefilters.
- Krijg je een nieuw bureau of andere meubels van hout in je kamer? Vraag je ouders dan hout te kopen met het FSC-keurmerk. FSC-hout is verkrijgbaar bij doe-het-zelfwinkels en tuincentra.
- Gaan je ouders verbouwen of een nieuw huis bouwen? Vraag of ze hout kopen met een FSC-keurmerk.

5. Oceanen

Tweederde van de aarde bestaat uit zeeën en oceanen. Deze wereld onder water zit vol met de meest bijzondere bewoners: kwallen, krabben, inktvissen, zeepaardjes, haaien, millimeter klein plankton, walvissen van dertig meter lang en nog veel meer. Maar de jacht, vervuiling en overbevissing maken het de zeebewoners moeilijk. Daarom moeten we voorzichtig zijn met de onderwaterwereld.

Walvisjacht

Al eeuwenlang jagen mensen op walvissen. Eerst met speren en later met harpoenen vol explosieven. De dikke speklaag van de walvissen werd vroeger gebruikt om lampolie en zeep van te maken. Het vlees werd opgegeten. Van andere delen van de walvis werden spullen als paraplu's, schoenlepels en schoensmeer gemaakt.

Nu jagen alleen nog Japanners, Noren en IJslanders op walvissen, hoewel dit allang niet meer mag. De Japanners zeggen dat ze jagen voor wetenschappelijk onderzoek. Dat is vreemd: daarvoor hoef je toch geen walvissen dood te maken? Greenpeace zegt dat het een excuus is om op walvissen te kunnen jagen. De Japanse jachtschepen zijn drijvende fabrieken waar het walvisvlees meteen wordt verwerkt. Daar komt weinig wetenschappelijk onderzoek bij kijken.

Brullende motoren

Herrie onder water maakt het leven van walvissen en dolfijnen moeilijk. De sonar die de marine gebruikt om onderzeeërs op te sporen, klinkt in de oren van walvissen als brullende vliegtuigmotoren. Door die harde tonen, maar ook door het geluid van ontploffingen, olieboringen en scheepsmotoren, raken ze in de war.

Bultrug
(GP/Hilton)

Zeehonden als schilderij?

De hele wereld schrok op toen Greenpeace-fotografen lieten zien hoe jonge zeehondjes werden doodgeknuppeld. Actievoerders spoten verf op de vacht van de jonge zeehondjes, zodat de jagers de pels niet meer konden verkopen. De Greenpeace-acties hadden succes: de Europese Unie besloot geen huiden van jonge zeehondjes meer te kopen. Maar de zeehonden zijn hun leven nog niet zeker: in Azië, Oost-Europa en Canada wordt nog steeds op hen gejaagd.

Zeeleeuw 'leest' Greenpeace-spandoek (GP/Hofford)

Greenpeace wil zeereservaten (GP/Aslund)

Zeeën zonder vis

Mensen vissen al eeuwenlang op zee. Als er niet te veel vis
wordt gevangen, is dat geen probleem. Maar tegenwoordig gaan
gigantische vissersschepen steeds verder de oceaan op om met
kilometerslange sleepnetten zo veel mogelijk vis binnen te
halen. En zo raakt het ene na het andere visgebied uitgeput en
blijft er van veel soorten steeds minder vis over.

Per ongeluk in het net

Elk jaar raken massa's zeedieren, per ongeluk, in vissersnetten
verstrikt. De vissers gooien deze vaak ernstig verwonde of zelfs
dode dieren (walvissen, zeevogels, dolfijnen, zeeschildpadden en
haaien) weer terug in zee. Walvissen en dolfijnen verdrinken als
ze in de netten vast komen te zitten. Het zijn immers zoogdieren
die af en toe boven water adem moeten halen. Elk jaar verdrinken zo'n driehonderdduizend walvissen en dolfijnen in de netten
van vissers.

Vergif

Ook vervuiling is niet best voor de zeebewoners. Bij ongelukken met olietankers stromen duizenden liters olie in zee. En er komt ook andere viezigheid in zee terecht. Eerst in plankton, de allerkleinste waterplantjes- en diertjes. Die worden gegeten door vissen en die worden op hun beurt weer gegeten door zeehonden. En zo komt het gif ook in deze dieren terecht.

Wat is de oplossing?

Greenpeace wil dat we voorzichtig zijn met de zee. De vervuiling moet worden aangepakt en een andere manier van vissen is hard nodig. Walvissen horen in zee thuis: het verbod op de jacht op grote walvissen moet blijven bestaan en moet ook gaan gelden voor de kleinere walvissen en de dolfijnen. Verder wil Greenpeace speciale gebieden op zee waar al het zeeleven met rust gelaten wordt: zeereservaten.

Wat kun je zelf doen?
- Wees kieskeurig en eet alleen vissoorten waarvan er nog genoeg in zee rondzwemmen. Kijk op www.goedevis.nl voor de vissoorten die je wel kunt eten.
- Als je op vakantie gaat naar gebieden waar dolfijnen of walvissen voorkomen, ga er dan op een boot naar kijken. Zo kunnen vissers geld verdienen zonder deze prachtige dieren te doden. Let er wel op dat de schippers de dieren met respect behandelen: het is natuurlijk niet de bedoeling dat het toerisme de rust van deze zeebewoners verstoort.
- Houd op school een spreekbeurt over de zeeën, hun bewoners, de bedreigingen en natuurlijk over Greenpeace.

6. Giftige stoffen

Elke week gooit een Nederlands gezin een of twee volle vuilniszakken weg. Dat lijkt niet veel, maar met al die vuilniszakken in Nederland bij elkaar, kun je in een maand het hele Feijenoordstadion in Rotterdam vullen. Gelukkig doen we dat niet, want dan zou er niet meer gevoetbald kunnen worden! Maar wat gebeurt er dan wel met al die vuilniszakken? En wat gebeurt er eigenlijk met het afval van fabrieken?

Verbranden: een goede oplossing?

Het afval dat we in vuilniszakken stoppen, wordt in grote ovens verbrand. Dat lijkt een goede oplossing, maar in de rook die bij de verbranding vrijkomt, zitten giftige stoffen. Nou hebben die ovens wel speciale filters die deze stoffen tegenhouden zodat er minder viezigheid in de lucht terechtkomt. Maar die (giftige) filters moeten ook weer ergens worden opgeborgen of verbrand. Toch niet zo'n goede oplossing dus!

Gevaarlijk afval

In fabrieken over de hele wereld worden allerlei producten, zoals speelgoed, computers of vloerbedekking, gemaakt. Bij die productie blijft ook veel afval over. Als in dat afval giftige stoffen zitten, is het 'gevaarlijk afval'. Het kost bedrijven geld om van dat afval af te komen. In Nederland geldt: hoe viezer het afval, hoe meer je voor het opruimen moet betalen. Logisch, toch? Maar sommige bedrijven willen zo weinig mogelijk geld uitgeven aan hun afval. Jarenlang 'verkochten' ze hun rommel daarom aan arme landen. Dat was goedkoper dan het hier te verbranden, op de vuilnisbelt storten of er nieuwe dingen van maken. En de arme landen konden het geld natuurlijk goed gebruiken.

Ruim je eigen rommel op!

Greenpeace voerde jarenlang actie om de schepen die het afval naar arme landen brachten, terug te sturen naar het land waar het afval vandaan kwam. Daarmee werd voorkomen dat het afval zomaar ergens neergezet werd, bijvoorbeeld op het strand of in een grote loods. Lekkende vaten en huizenhoge vuilnisbelten vervuilden de bodem, de lucht en het water van die arme landen. Het gif kwam zelfs in hun drinkwater terecht. Hartstikke ongezond! Het goede nieuws kwam in 1996: alle Europese landen beloofden geen gevaarlijk afval naar arme landen te brengen. De Europese landen moesten voortaan hun afval zelf opruimen. En zo hoort het ook!

Stranden vol schepen

Als schepen oud en roestig zijn, gaan ze naar de sloop. Net als oude auto's. De slopers halen de waardevolle spullen eruit en

Actie tegen handel in afval (GP/Aslund)

Actievoerders van Greenpeace bij Philips (GP/Lombardi)

verkopen die. Vooral het staal van schepen levert veel geld op. Veel scheepseigenaren laten hun schepen slopen op het strand in bijvoorbeeld India, Bangladesh of Turkije. Daar is het goedkoper omdat er geen 'lastige' milieuregels zijn, zoals in veel Europese landen. Veel prachtige stranden zijn nu vieze en gevaarlijke scheepskerkhoven geworden.

Bestrijdingsmiddelen op groente en fruit
Groente en fruit zijn heel erg gezond. Door bestrijdingsmiddelen te gebruiken gaan de groente en het fruit er mooier uitzien en beter groeien. Maar de resten van deze bestrijdingsmiddelen die op de groente en het fruit achterblijven, zijn giftig en ongezond. Schrik niet, daar word je heus niet meteen ziek van, maar later kun je er misschien wel last van krijgen.

Wat is de oplossing?
Greenpeace vindt dat de oorzaak van het probleem aangepakt moet worden: het is het beste om bij het maken van producten geen giftige stoffen te gebruiken. En in de producten zelf horen ze ook niet thuis. Bovendien is het helemaal niet nodig: er bestaan vaak ook schonere stoffen. En anders moeten bedrijven

hun best gaan doen om schonere oplossingen te bedenken. Greenpeace voert daarom vaak actie voor schonere productie bij fabrieken die giftige stoffen maken of gebruiken.

Schepen moeten veilig worden gesloopt. Eigenaren van schepen moeten daarom eerst zelf alle gevaarlijke materialen uit de schepen halen. En de schepen die nog varen, moeten om de paar jaar worden opgeknapt. Bij zo'n opknapbeurt kunnen de eigenaren meteen gevaarlijke materialen vervangen door schone. En nieuwe schepen moeten natuurlijk gebouwd worden zonder giftige stoffen.

Wat kun je zelf doen?

- Vraag je ouders of ze biologische groente en fruit willen kopen. Bij het telen daarvan zijn geen bestrijdingsmiddelen gebruikt.
- Neem een katoenen tas mee als je boodschappen gaat doen in plaats van iedere keer een nieuwe plastic tas te kopen.
- Om papier mooi wit te maken, gebruiken sommige papierfabrikanten de giftige stof chloor. Maar je kunt papier ook wit krijgen met waterstofperoxide of zuurstof. En is het zo erg als het papier een klein beetje minder wit is? Van oud papier kunnen fabrieken trouwens ook weer nieuw papier maken. Jij kunt helpen door in de winkel te vragen naar gerecycled en chloorvrij gebleekt papier. En natuurlijk: wees zuinig met papier!
- Gebruik voor huishoudelijke artikelen chloorvrije alternatieven: chloorvrije schoonmaak- en afwasmiddelen.
- Gebruik plakband zonder PVC. Koop liever kartonnen opbergartikelen dan ringbanden en ordners met PVC.
- Koop computers of mobiele telefoons waarin geen giftige stoffen zitten.

7. Genetische manipulatie

Niemand weet precies hoeveel verschillende soorten planten en dieren er zijn, omdat er nog steeds nieuwe soorten ontdekt worden. Al sinds het ontstaan van de aarde sterven soorten ook uit, zoals de mammoet en de dinosaurus. Alle planten en dieren hebben hun eigen plaats in de natuur: ze kunnen niet zonder elkaar bestaan en ze houden elkaar in evenwicht. Dat wordt biodiversiteit genoemd. Genetische manipulatie kan het evenwicht behoorlijk verstoren.

Erfelijke eigenschappen

Mensen, dieren en planten bestaan uit miljarden cellen. En daarin zitten genen. In die genen zijn de erfelijke eigenschappen opgeslagen. Ze zorgen ervoor dat je blauwe ogen hebt, of juist bruine. Sommige genen heb je van je vader geërfd, andere van je moeder. Daarom zeggen mensen wel eens tegen je: je hebt de neus van je moeder of de mond van je vader. Bij dieren en planten gaat het net zo. Een vos krijgt een vossenjong en geen konijntje!

Tulp met doornen?

In de natuur kunnen planten van dezelfde soort met elkaar kruisen. Stuifmeel van de ene plant komt terecht op de andere, via bijen of de wind. Kwekers doen dat ook, maar dan met opzet: ze brengen bijvoorbeeld stuifmeel van een gele naar een rode tulp. Na een tijdje ontstaat dan een oranje tulp. Maar een tulp met een roos kruisen en denken dat daar een tulp met doornen uit komt, dat kan niet.

Nieuwe planten

Met genetische manipulatie kan de ene plantensoort wel de erfelijke eigenschap van een heel andere plantensoort krijgen. Of zelfs van een dier. Zo kunnen onderzoekers een eigenschap van

*In actie bij Lelystad
(GP/Beentjes)*

een vis in een plant stoppen. Vissen zijn koudbloedige dieren en kunnen goed tegen de kou. Als je dus een gen van een vis in een plant stopt, kan die plant ook beter tegen lagere temperaturen. Zo kun je die planten ook in andere, koudere landen verbouwen. Zo wordt een nieuwe plant door genetische manipulatie in elkaar geknutseld. Maar zelfs de briljantste onderzoeker weet niet precies wat er gebeurt als zo'n vissenei-genschap in een plant wordt gestopt. Waar blijft dat vissen-gen precies? En als die plant in de natuur terechtkomt en kruist met een gewone plant, krijgt die dat vissen-gen dan ook? Kunnen de genetisch gemanipuleerde planten de gewone planten verdringen? Allemaal vragen waarop onderzoekers zelf het antwoord ook niet weten.

*Onderzoek in een labaratorium
(GP/Cheu Chi Yun)*

Lekker handig?
Sommige bedrijven denken dat ze betere planten kunnen maken, maar willen vooral veel geld verdienen door planten genetisch te manipuleren. Zo stopte een bedrijf het gen van een bacterie in een maïsplant. Dat gen zorgde ervoor dat de maïsplant zelf gif tegen schadelijke insecten maakt. De rupsen

die de maïs eten, gaan daarvan dood. 'Lekker handig', vindt het bedrijf, 'want nu hoeven de boeren geen bestrijdingsmiddelen meer op die maïsplant te spuiten.' Maar het blijkt dat ook andere insecten, zoals de rupsen van de monarchvlinders, dood kunnen gaan door de maïsplant. Zo'n plant is dus niet beter maar slechter, vindt Greenpeace.

Wat is de oplossing?
Greenpeace vindt het geknutsel met genen geen goed idee. Zulke experimenten horen thuis in een laboratorium en niet op het open veld. Zolang we niet weten wat er gebeurt, mogen genetisch gemanipuleerde gewassen niet in het milieu terechtkomen. Dat noemt Greenpeace het voorzorgprincipe: geen gegoochel met genen totdat duidelijk is dat er geen gevaar is voor mens en natuur. Bovendien zijn genetisch gemanipuleerde gewassen helemaal niet nodig: er zijn genoeg andere manieren om insecten te bestrijden of een grotere oogst te krijgen. In Afrika hadden boeren ook last van insecten die de maïs opaten. Daar verzonnen ze een echte list. Om de velden met maïs heen plantten ze een speciaal soort gras dat de insecten nog veel lekkerder vinden dan maïs. Dus vliegen de insecten daar naartoe en laten ze de maïs met rust. Ook veel andere landen gebruiken dit soort oplossingen. Zo kan het dus ook!

Wat kun je zelf doen?
- Koop producten met het EKO-keurmerk: dan weet je zeker dat je geen genetisch gemanipuleerd voedsel eet.
- Speel het Greenpeace-memoryspel over genetische manipulatie: ga naar www.gentechmemory.nl.

8. De schepen van Greenpeace

Met een schip kom je overal. Voor Greenpeace zijn schepen belangrijk om actie te voeren op plaatsen die anders moeilijk te bereiken zijn. Zoals bij de zeehonden op de noordpool, bij Moruroa in de Stille Zuidzee of bij de illegale vissers in de Atlantische Oceaan. Al vanaf de eerste actie is Greenpeace op het water te vinden. Toen, in 1971, vertrokken de eerste Greenpeace-actievoerders met een oude vissersboot om te protesteren tegen de Amerikaanse atoomproeven bij Amchitka. Sinds die tijd zijn er heel wat schepen gekomen en gegaan.

De Rainbow Warrior

Een van de beroemdste schepen van Greenpeace is de Rainbow Warrior. Met dit schip werd vaak tegen de jacht op walvissen en zee-honden geprotesteerd. In 1985 wilde Greenpeace met de Rainbow Warrior in actie komen tegen de Franse atoomproeven in de Stille Zuidzee. De Franse geheime dienst plaatste een bom op het schip waar-door het zonk. Precies vier jaar later, op 10 juli 1989, werd de Rainbow Warrior II te water gela-ten. Met dit schip voer Greenpeace in de zomer van 1995 opnieuw naar de Stille Zuidzee om te protesteren tegen de Franse kernproeven. De laatste jaren werd het schip vooral ingezet bij acties om de oerbossen te beschermen.

De Rainbow Warrior op volle zee (GP/Care)

De Esperanza

De Esperanza, 'hoop' in het Spaans, is het nieuwste en grootste schip in de Greenpeace-vloot. Vroeger was het een schip om op zee branden te bestrijden. Greenpeace bouwde het om tot actie-schip, compleet uitgerust met recycling-systemen, satellietver-bindingen, zuinige motoren en ozon-vriendelijke koelinstallaties. De eerste actie van de Esperanza was in maart 2002, toen Greenpeace protesteerde tegen het lossen van Afrikaans oerbos-hout in IJmuiden. Later dat jaar was ze in de Middellandse Zee om daar giflozingen te stoppen. Begin 2004 verzamelde de bemanning van de Esperanza in het Kanaal tussen Engeland en Frankrijk bewijzen van de gevolgen van de visvangst met sleep-netten in dat gebied: duizenden dode dolfijnen en bruinvissen per jaar. Vanaf 2005 is het schip geregeld in de ijskoude wateren van de Zuidelijke Oceaan, om het de Japanse walvisjagers zo moeilijk mogelijk te maken.

De Arctic Sunrise

Ironisch, maar écht waar: de Arctic Sunrise was oorspronkelijk een schip voor de zeehondenjacht. Toch nam Greenpeace het schip in 1995 in gebruik. Sindsdien heeft ze een heel actief Greenpeace-leven. Ze begon met een actie tegen olievervuiling in de Noordzee en met een tocht om erachter te komen welke

Volle vaart vooruit met de Esperanza (GP/Sutton-Hibbert)

De Arctic Sunrise in het ijs (GP/Morgan)

olieplatforms op de dumplijst stonden. In 1996 en 1997 ging het schip naar de Zuid- en Noordpool om de gevolgen van klimaatverandering te onderzoeken. In 2003 hielp het schip bij de schoonmaak van de Zweedse kust die zwaar vervuild was geraakt door een olieramp op zee. In 2004 voer het schip naar het afgelegen Patagonië, op het zuidelijkste puntje van Zuid-Amerika. Hier zagen medewerkers van Greenpeace hoe eeuwenoude gletsjers smelten door de klimaatverandering.

De Sirius
Sirius is de naam van de helderste ster aan de hemel. Greenpeace gebruikte het schip met die naam speciaal voor acties in Europa. Op 13 juli 1981 begon de Sirius aan haar eerste Greenpeace-reis. Ongeveer duizend kilometer ten zuiden van Engeland protesteerde de bemanning tegen het dumpen van

vaten met radioactief afval in zee. Een heel spannende actie maakte de Sirius mee in 1985. In mei van dat jaar wilde een schip de haven van Antwerpen uitvaren om vaten met chemisch afval in de Noordzee te dumpen. De Sirius ging voor de ingang van de haven liggen, zodat het schip er niet uit kon. De politie legde het Greenpeace-schip toen aan de ketting. Maar de bemanning van de Sirius was niet voor één gat te vangen: diep in de nacht braken ze vrij en voeren ze stiekem de haven uit. Om onder de brug van het Rijn-Schelde kanaal door te kunnen, zaagden ze zelfs de mast om. Ontsnapt en op weg naar Amsterdam! Ook protesteerde de Sirius tegen de Noorse zeehondenjacht, de vervuiling van de Middellandse Zee en illegale visserij met drijfnetten. In november 1998 hield ze een schip tegen dat in Vlissingen hout uit de oerbossen van Canada wilde lossen. De Sirius was toen al eigenlijk te oud om nog actie mee te voeren. Daarom heeft het schip in 2002 een vaste plek gekregen en is nu speciaal bedoeld voor jongeren. Zij kunnen de Sirius bezoeken en er van alles leren over de natuur en het leven aan boord van een schip. En over actievoeren!

Beluga I en II
De Beluga II, de naam zegt het al, is de opvolger van de Beluga I. Het zijn totaal verschillende schepen: Beluga I was een brandbestrijdingsschip met een motor en Beluga II is een zeilschip. Greenpeace gebruikte de Beluga I voor het eerst in 1984. In een labaratorium aan boord kon snel onderzocht worden of er giftige stoffen in het water zitten. De Beluga II werd in 2004 speciaal voor Greenpeace gebouwd. Het schip kan door zijn platte bodem door ondiep water varen en koerst over alle rivieren in Europa om onderzoek te doen naar fabrieken die gif lozen in het water.

Argus
Sinds mei 2000 maakt Greenpeace gebruik van de Argus. Dit schip is het kleinste motorschip uit de Greenpeace-vloot. Het schip is heel licht en dus zuinig met brandstof. Precies goed

Educatieschip de Sirius (GP/Horneman)

voor onderzoek en acties waar je anders lastig kunt komen, zoals langs rivieren of in een haven. Journalisten die een actie van dichtbij willen zien, kunnen op de Argus meevaren. Hun verhalen en foto's komen snel in de krant en op televisie, zodat iedereen kan lezen en zien wat Greenpeace wil bereiken.

Rubberboten
Misschien heb je het wel eens op televisie gezien: een klein rubberbootje dat tussen een enorme walvisjager en een walvis doorvaart. Rubberboten kan Greenpeace dan ook niet missen bij acties: ze zijn klein, snel en wendbaar. Ze kunnen walvisjagers, gifdumpers en andere milieuvervuilers flink in de weg zitten. De grootste rubberboot, de RI 28, gebruikt Greenpeace ook om acties te filmen en foto's te maken.

9. Successen

Greenpeace wil de natuur zo goed mogelijk beschermen. Door de vasthoudendheid van medewerkers en
vrijwilligers van Greenpeace lukt het om bedrijven en
de politiek bewust te maken van milieuproblemen. En
het onderzoek, al het praten en alle acties zijn niet
voor niets geweest: er zijn al heel wat successen
behaald. Een paar daarvan vind je hieronder:

1972
De Amerikanen stoppen met hun atoomproeven op het eiland
Amchitka bij Alaska.

1982
De Internationale Walvisvaart Commissie besluit dat de com-
merciële jacht op walvissen vanaf 1986 verboden is.

1983
De Europese Gemeenschap (nu Europese Unie) besluit dat er
geen huiden van jonge zeehondjes meer mogen worden inge-
voerd. In 1989 maakt de Europese Gemeenschap dit verbod
definitief.

*1982: in actie tegen
walvisjacht
(GP/Lagendijk)*

*Canadees regenwoud
(GP/Aikman)*

1991
Van 1987 tot 1992 heeft Greenpeace een eigen basiskamp op de Zuidpool (Antarctica).
Greenpeace voert actie voor de bescherming van het gebied en is aanwezig bij belangrijke vergaderingen over de toekomst van Antarctica. In 1991 wordt besloten dat er op Antarctica de eerste vijftig jaar niet naar delfstoffen als olie mag worden gezocht. En daardoor blijft de Zuidpool voor lange tijd beschermd.

1995
De landen rond de Noordzee verklaren dat ze het lozen van schadelijke stoffen in zee willen verminderen.

1999
De Europese ministers van milieu besluiten dat giftige stoffen die het speelgoed zacht maken, in sabbel-kinderspeelgoed verboden zijn.

2001
Grote delen van het Canadese Great Bear Rainforest worden beschermd. In andere delen mogen voorlopig geen bomen worden gekapt.

1991: pinguïns zijn blij met de bescherming van Antarctica (GP/Swenson)

2004
Veertien Nederlandse uitgevers kiezen voor oerbosvrij papier voor hun boeken. Schrijvers, zoals Lydia Rood, steunen dit initiatief. De Harry Potter-boeken van J.K. Rowling zijn al gedrukt op oerbosvrij papier.

2005
Grote internationale bedrijven, waaronder Adidas, Sony, Puma en Nokia, hebben Greenpeace beloofd te stoppen met het gebruik van schadelijke stoffen in hun producten.

2007
Nederland geeft massaal gehoor aan de oproep van Greenpeace om spaarlampen in te draaien. De verkoop stijgt met twee miljoen exemplaren.

2008
De Esperanza volgt twee weken lang Japanse walvisvaarders waardoor ze niet kunnen jagen en er honderd walvissen minder gedood worden.

10. Vrijwilligers en donateurs

Het succes van Greenpeace komt voor een groot deel door de inspanningen van vrijwilligers. Dat zijn mensen die werk doen voor Greenpeace zonder dat ze ervoor betaald krijgen. Gewoon omdat ze de natuur en de dieren belangrijk vinden. Zonder hun inzet zou Greenpeace veel minder bereiken.

In Nederland geven zo'n vierhonderd vrijwilligers voorlichtingen op scholen en bij evenementen. Op de Sirius leiden vrijwilligers groepen jongeren rond. Het actieteam kan rekenen op nog eens zo'n honderdvijftig vrijwilligers. Dat zijn stoere jongens en meiden die in de rubberboten varen of uit protest een groot spandoek van een vervuilende fabriek laten zakken.

Vierhonderd vrijwilligers, wie zijn dat dan? Een paar stellen zich aan je voor:

Madelon: *'Ik ben vrijwilliger bij Greenpeace omdat ik mensen wil informeren over wat er gebeurt en hoe wij beter voor de aarde kunnen zorgen.'*

Dieuwertje: *'De belangrijkste reden waarom ik vrijwilliger ben bij Greenpeace? Ik wil dat de generaties na mij ook van de natuur kunnen genieten. Als basisschoollerares leer ik de kinderen veel over de natuur. Ik moet er dan ook niet aan denken dat we in de toekomst de natuur niet bij biologie, maar bij geschiedenis moeten gaan bespreken!'*

Vrijwilligers bij de Utrechtse Dom (GP/Beentjes)

Greenpeace-vrijwilligers bij Concert at Sea (GP/Van Houdt)

Ruben: *'Ik ben vrijwilliger geworden, omdat ik geld storten alleen te makkelijk vond. Als ik iets steun wil ik dat met meer dan alleen maar geld doen.'*

Mirjam: *'Al vanaf dat ik jong ben heb ik wat met Greenpeace. Zo las ik de kinderboeken van Rob Zadel en maakte ik werkstukken over de thema's van Greenpeace. Toen ik ouder was, wilde ik echt actief worden. Nu werk ik al jaren bij de lokale groep in Utrecht en als vrijwilliger op de Sirius.'*

Donateurs

Greenpeace wil niet afhankelijk zijn van bedrijven of regeringen. Daarom neemt ze van hen geen geld aan. De inkomsten komen van donateurs. Gelukkig willen honderdduizenden mensen het werk van Greenpeace met geld ondersteunen. Zo blijft de organisatie onafhankelijk.

11. Jij en Greenpeace

**En wat kun je zelf doen? Je kunt de Sirius bezoeken,
actief worden in een Greenteam of een voorlichting
aanvragen over Greenpeace in de klas. Je kunt
ook zelf een spreekbeurt houden of een werkstuk
maken over Greenpeace.**

Bezoek de Sirius

Je kunt met je klas het voormalig actieschip de Sirius bezoeken
en zelf een spannende actie naspelen. Zo ontdek je van alles
over het leven aan boord van een Greenpeace-actieschip én wat
je zelf kan doen voor een schonere natuur. Ook kun je in de klas
aan de slag met de Greenpeace-lesbrieven.
Die zijn speciaal voor groep 7 en 8 en brugklassen gemaakt en
gaan over onderwerpen als giftige stoffen, vervuiling, navigatie,
duurzame energie en het beschermen van oerbossen en oceanen.
Ze zijn te downloaden van www.greenpeacekids.nl/
educatie. Vraag je leraar contact op te nemen met Greenpeace
voor een bezoek aan de Sirius. De lesbrieven kan hij of zij zelf
downloaden. Houd er wel rekening mee dat aan het bezoek aan
de Sirius kosten verbonden zijn.

Greenteams

Greenteams zijn groepjes kinderen van minstens acht jaar die in
actie komen voor de natuur in hun omgeving. Zo hebben
Greenteams bijvoorbeeld gezorgd voor afvalbakken in een park
en voor gerecycled papier op school. Soms helpen Greenteamers
Greenpeace bij een actie, bijvoorbeeld door handtekeningen te
verzamelen.

Greenteams bepalen zelf wat ze belangrijk vinden. Greenpeace
zorgt voor informatie en begeleiding. Alle Greenteamers krijgen
een handboek en een pet. In het handboek legt Greenpeace uit

*Aan boord van
de Sirius
(GP/Horneman)*

*Voorlichting in klas
(GP/Toala Olivares)*

hoe je als groepje aan de slag kan gaan. Ook ontvang je vier keer per jaar het jongerenblad *Greenpeace Kids*, met daarin twee pagina's over, voor en door Greenteams. Daar lees je waar andere Greenteams mee bezig zijn.

Greenpeace op bezoek

Greenpeace in de klas uitnodigen? Dat kan ook! Je kunt namens je school een voorlichting aanvragen over Greenpeace of over een Greenpeace-onderwerp. Daarbij kun je altijd over de inhoud van de voorlichting met de voorlichter overleggen. Een voorlichting moet je minimaal zes weken van tevoren aanvragen. Het is gratis, maar een vrijwillige bijdrage (voor de reiskosten en het gebruikte materiaal) is natuurlijk altijd welkom! Na afloop kun je iets schrijven in de schoolkrant of een tentoonstelling maken die je op school laat zien. Je kunt ook zelf een spreekbeurt houden of een werkstuk maken over Greenpeace. Daarvoor heeft Greenpeace een speciaal informatiepakket gemaakt!

12. Meer weten?

Op de kidswebsite van Greenpeace Nederland, www.greenpeacekids.nl, vind je veel informatie over Greenpeace. Handig voor spreekbeurten of werkstukken! Ook kun je vanachter je computer Greenpeace en de natuur helpen door bijvoorbeeld mee te doen aan cyberacties.

In het Greenpeace-informatiepakket zit een folder waarin je alles leest over Greenpeace en wat zij allemaal doet voor de natuur. En hoe jij daarbij kunt helpen. Verder vind je een mooie walvis- en schepenposter en een Greenteam-folder in het pakket. Handig voor spreekbeurten en werkstukken! Bestel dit pakket door te bellen naar Greenpeace: 0800 - 422 33 44 (gratis). Of vul het bestelformulier in op www.greenpeacekids.nl.

Greenpeace heeft ook info-brieven met daarin meer informatie over de verschillende onderwerpen waarmee Greenpeace zich bezighoudt. Die kun je downloaden van de Greenpeacekids website. Voor meer informatie, bestellingen, aanmeldingen of aanvragen kun je bellen naar 0800 - 422 33 44 (gratis). Je kunt ook een mailtje sturen naar: kids@greenpeace.nl.

Boeken:
- Scholieren maken schoon schip. Bruna, 1987. ISBN 90-2297-781-1
- Paul Brown: Greenpeace.
  Dahlgaard Media, 1996. ISBN 90-5666-005-5
- Anne Boermans: Greenpeace in actie; strijd op het water voor een leefbare wereld.
  Meulenhoff Informatief, 1985. ISBN 90-2909-845-7
- René de Bok: Van de Rainbow Warrior tot Mururoa; 25 jaar Greenpeace.
  Icarus, 1997. ISBN 90-410-9-034-7
- Bernhard Knappe: Geheim van Greenpeace.
  Mingus, 1994. ISBN 90-6564-228-5

13. Bronnen

Boeken:
Het verhaal van Greenpeace van Michael Brown & John May,
Uitgeverij M&P, Weert, 1992. ISBN 90-6590-661-4

Informatiemateriaal van Greenpeace:
Met een schip kom je overal! poster, 2003
Het milieu: informatie, tips en actie!, folder, 2005

Info-brieven:
Over oma's neus en genetisch geknutsel, 2006
Energie: vuil of schoon?, 2006
De boemerang van giftige stoffen, 2006
Bossen voor de bijl, 2006
Wereld onder water, 2006

Websites:
www.greenpeacekids.nl
www.greenpeace.nl

*De Greenpeace
Kids website*

Reeds verschenen
in de WWW-reeks:

WWW-SERIE

Deel 1 Ku Klux Klan
Ton Vingerhoets
ISBN 978-90-76968-12-4

Deel 2 Amish
Ton Vingerhoets
ISBN 978-90-76968-13-1

Deel 3 Jaren zestig
Ton Vingerhoets
ISBN 978-90-76968-14-88

Deel 4 Brandweer
Ton Vingerhoets
ISBN 978-90-76968-35-3

Deel 5 Musical
Ton Vingerhoets
ISBN 978-90-76968-36-0

Deel 6 Politie
Yono Severs
ISBN 978-90-76968-43-8

Deel 7 Voodoo
Saskia Rossi
ISBN 978-90-76968-44-5

Deel 8 Aboriginals
Ton Vingerhoets
ISBN 978-90-76968-37-7

Deel 9 Motorcross
Wilfred Hermans
ISBN 978-90-76968-59-9

Deel 10
Koninklijke Landmacht
Ton Vingerhoets
ISBN 978-90-76968-60-5

Deel 11
Koninklijke Luchtmacht
Ton Vingerhoets
ISBN 978-90-76968-61-2

Deel 12 Koninklijke Marine
Ton Vingerhoets
ISBN 978-90-76968-62-9

Deel 13 Maffia
Saskia Rossi
ISBN 978-90-76968-58-2

Deel 14 Nelson Mandela
Yono Severs
ISBN 978-90-76968-76-6

Deel 15 Martin Luther King
Yono Severs
ISBN 978-90-76968-77-3

Deel 16 Tatoeages, Piercings
en andere lichaamsversieringen
Connie Harkema
ISBN 978-90-76968-78-0

Deel 17 El Niño
Saskia Rossi
ISBN 978-90-76968-79-7

Deel 18 Coca-Cola
Ton Vingerhoets
ISBN 978-90-76968-71-1

Deel 19 Vandalisme
Ton Vingerhoets
ISBN 978-90-76968-72-8

Deel 20
Breakdance/Streetdance
ISBN 978-90-76968-84-1
NOG NIET VERSCHENEN!

Deel 21 Kindsoldaten
Carla Gielens
ISBN 978-90-76968-51-3

Deel 22 Doodstraf
Carla Gielens
ISBN 978-90-76968-50-6

Deel 23 De Spijkerbroek
Connie Harkema
ISBN 978-90-76968-85-8

Deel 24
CliniClowns
Yono Severs
ISBN 978-90-76968-84-1

Deel 25
Unicef
PaulineWesselink
ISBN 978-90-8660-005-2

Deel 26
Walt Disney
Jackie Broekhuijzen
ISBN 978-90-8660-006-9
NOG NIET VERSCHENEN!

Deel 27 De Berlijnse muur
Ton Vingerhoets
ISBN 978-90-8660-007-6

Deel 28 Bermuda driehoek
Ton Vingerhoets
ISBN 978-90-8660-008-3

Deel 29 Stripverhalen
Bert Meppelink
ISBN 978-90-8660-023-6
NOG NIET VERSCHENEN!

Deel 30 Formule 1
Ton Vingerhoets
ISBN 978-90-8660-024-3
NOG NIET VERSCHENEN!

Deel 31 Vuurwerk
Ton Vingerhoets
ISBN 978-90-8660-025-0

Deel 32 Graffiti
Nora Iburg
ISBN 978-90-8660-026-7
NOG NIET VERSCHENEN!

Deel 33 Vietnam-oorlog
Ton Vingerhoets
ISBN 978-90-8660-044-1

Deel 34 Kleurenblindheid
Carla Gielens
ISBN 978-90-8660-045-8
NOG NIET VERSCHENEN!

Deel 35 Artsen Zonder
Grenzen
Pauline Wesselink
ISBN 978-90-8660-046-5

Deel 36 Loverboys
Yono Severs
ISBN 978-90-8660-047-2

WWW-TERRA

Deel 1 Indonesië
Saskia Rossi
ISBN 978-90-8660-009-0

Deel 2 Tibet
Esther Nederlof
ISBN 978-90-8660-010-6

Deel 3 Oostenrijk
Yono Severs
ISBN 978-90-8660-011-3

Deel 4 Friesland
Yono Severs
ISBN 978-90-8660-012-0

Deel 5 Canada
Pauline Wesselink
ISBN 978-90-8660-013-7

Deel 6 Suriname
Pauline Wesselink
ISBN 978-90-8660-027-4

Deel 7 Thailand
Yono Severs
ISBN 978-90-8660-028-1
NOG NIET VERSCHENEN!

Deel 8 Turkije
Yono Severs
ISBN 978-90-8660-029-8
NOG NIET VERSCHENEN!

Deel 9 De Wadden
Yono Severs
ISBN 978-90-8660-030-4

WWW-BEROEPEN

Deel 1A Werken in de sport:
Topsport
Esther Nederlof
ISBN 90-76968-69-1

Deel 1B Werken in de sport:
Recreatiesport
Petra Verkaik
ISBN 978-90-8660-018-2

Deel 2 De kraamverzorging
Carla Gielens
ISBN 90-76968-49-7

Deel 3 De kapster/kapper
Yono Severs
ISBN 90-76968-91-8

WWW-SPORT, SPEL & DANS

Deel 1 Skateboarden
Dolores Brouwer
ISBN 978-90-8660-039-7

Deel 2 De geschiedenis van
de Olympische Spelen
Saskia Rossi
ISBN 978-90-8660-061-8

SLOTERVAART

Pieter Callandlaan 87 b   1065 KK Amsterdam
Tel. 615 05 14
slvovv@oba.nl